★この作品《さくひん》はフィクションです。実在《じつざい》の人物《じんぶつ》・
団体《だんたい》・事件《じけん》などにはいっさい関係《かんけい》ありません。

SOUL EATER

ソウルイーター

1

大《おお》久《く》保《ぼ》 篤《あつし》

[SOUL EATER]

vol.1

by OHKUBO ATSUSHI

Listen to
the Beat of
the SOUL

CONTENTS

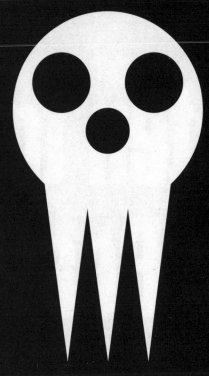

【ソウル=イーター】

キリキリ
オオオオオ
キリキリ
キリキリ
殺人鬼《さつじんき》「切《き》り裂《さ》きジャック」
お前《まえ》の魂《たましい》いただくよ
じゅる
殺人鬼《さつじんき》
切り裂きジャック《ジャック・ザ・リッパー》
HA《ハ》！HA《ハ》！
キリキリ
キリキリ

ソウル＝イーター…
あいつ人間《にんげん》よね…
ああマカ…
俺《おれ》だって鎌《かま》だぜ…
でもふだんは人間《にんげん》の姿《すがた》をしている
姿《すがた》・形《かたち》が問題《もんだい》じゃねェ…
じゅる
問題《もんだい》なのは〝魂《たましい》〟さ!!
HA《ハ》! HA《ハ》!
行《い》くよソウル＝イーター!
おう!
ドゥ
オオオ
これで「99個《こ》目《め》の人間《にんげん》の魂《たましい》」──!

フヨ
フヨ
ギュッ
オオオオ
ヘイ
うじゅる

ぶ
わ
モキュ
モキュ
ゴク
ぷぅ〜
ごちそうさまでした!!
ついに99個《こ》の「人間《にんげん》の魂《たましい》」をたいらげたね♪
魔《ま》鎌《がま》
ソウル=イーター
鎌《かま》職《しょく》人《にん》
マカ

残《のこ》り あと1個《こ》！
魔女《まじょ》の魂《たましい》を食《く》えば 俺《おれ》も「死神様の武器《デスサイズ》」に なれる!!
これでまた 男《おとこ》のCOOL《クール》度《ど》も 上《あ》がるってもんだぜ！
私《わたし》 死神様《しにがみさま》に 現状報告《げんじょうほうこく》して 来《く》るね
え〜〜と 鏡《かがみ》…鏡《かがみ》…
あ！ あった♪
死神様《しにがみさま》んちの 鏡番号《かがみばんごう》はっ…
きゅ
42《シニ》-42《シニ》-564《コロシ》っと… ………
プルルル プルルル
ガチャッ
あ！ ハロハロ 死神様《しにがみさま》？
鎌職人《かましょくにん》のマカです

やあ!! マカちゃん! 元気《げんき》? どうよ調子《ちょうし》は?
死《しに》神《がみ》様《さま》
たった今《いま》 99個《こ》の「人間《にんげん》の魂《たましい》」をたいらげたところです あとは残《のこ》り1個《こ》「魔女《まじょ》の魂《たましい》」だけです
やや! おつかれさ〜ん
マカちゃんはホント お母《かあ》さんに似《に》て りっぱな鎌職人《かましょくにん》だね♪
エヘヘ♪
おい! ソウル=イーター!!
ああ!? なんだよ!!

俺《おれ》のマカに手《て》ェ出《だ》したらブッ殺《ころ》すからな!!
わかってんだろーな!タコスケ!!
うるせぇ!! COOL《クール》な俺《おれ》にこんなちんちくりん女《おんな》が似合《にあ》うわけねェだろ!!
チンチクリン
なんだとテメェー!! 俺《おれ》のマカに何《なん》の魅力《みりょく》もねェーっていうのか!?
だぁ
少《すこ》しは手《て》ェ出《だ》せ!! 男《おとこ》だろ!!
何《なに》言《い》ってんだ!? お前《まえ》——……
現死神様《げんしにがみさま》の武器《ぶき》
デスサイズ
イラリ
!!
マカ!愛《あい》してるよ♡
プン!!
私《わたし》 パパのコト父親《ちちおや》だなんて思《おも》ってないから!!
「俺《おれ》のマカ」だとか父親《ちちおや》ぶるのやめてよね!!
ガーン
マカ——……
まぁ… 家族《かぞく》の事情《じじょう》は置《お》いといて魔女《まじょ》のコトだけど!
はい!

「99個《こ》の人間《にんげん》の魂《たましい》」と「1個《こ》の魔女《まじょ》の魂《たましい》」をたいらげることで 初《はじ》めて「デスサイズ」になるコトができるのだが——…問題《もんだい》は最後《さいご》の魔女《まじょ》の魂《たましい》だ
私《わたし》は魔女《まじょ》との戦闘《せんとう》で命《いのち》を落《お》とした鎌職人《かましょくにん》をいやというほど見《み》てきたよ
気《き》をつけてね マカちゃん
君《きみ》のお母《かあ》さんが作《つく》った「デスサイズ」に負《ま》けない りっぱな鎌《かま》を作《つく》ってね
マカ———
はい!
期待《きたい》してろよ 死神様《しにがみさま》!!
そんじゃ バイバイ!!
ガチャ
マカァ———…… パパは…… パパは———……
マカちゃん人形《にんぎょう》(パパ作《さく》)
いいかげんにしなさい!!
「脳天直撃《のうてんちょくげき》死神《しにがみ》チョップ」かますよ!

ア・タ・シ・は キュートでー ステキなレディー♪ フゥ――!!
シュコシュコ
見《み》たものすべてを 虜《とりこ》にするのォ~~~♪ フゥ――!!
ひょい♪
次《つぎ》は背中《せなか》♡
ヒュン
でもでもぉ~~♪ アタシはカボチャが 好《す》きなのォ~~~♪
ひゅうるるる

パンパンプキン パンプキン それがアタシの 魔法《まほう》よん♡
魔《ま》女《じょ》 ブレア
あの家《いえ》に 魔女《まじょ》ブレアが いるのね
パンパン プキン
パンプキン
カボチャだな! スゲェー…
COOL《クール》だな うまそー!!
じゅる
こそこそ潜入《せんにゅう》ってのも 男《おとこ》らしくねェ———…
真《ま》っ正面《しょうめん》から 食《く》ってやる!
じゅる
ちょっとダメよ!! 今《いま》まではワケが 違《ちが》うんだから!!
うるせェー!! マカ ほら行《い》こうぜ!!
ダッ
コラ!! 言《い》うこと聞《き》け! あんたは私《わたし》の作品《さくひん》なんだから!!

いっただきまあ〜す!!!
フォオオオオ
?
あのバカ…!!
パラ パラ
は…
はだかぁア!!
ザプーン
ブク ブク
ぷはっ
ゲボ
ゲボ

アララ？
どうしたのボクゥ～
いん
んがぁぁ
しぽ
うがぁあああんん!!
へん！俺《おれ》みたいなCOOL《クール》な男《おとこ》は女《おんな》の裸《はだか》ぐらい見慣《みな》れてるぜい!!
クスッ
サ サ
ドクドク
そのわりには鼻血《はなぢ》ドクドクねん♡
ドアホ!!
ゴ
グギ
ぶべらば!!
ズギャ
入浴中《にゅうよくちゅう》悪《わる》いけどアンタの魂《たましい》いただくよ!!
も――!!ソウルのバカー!!魔女《まじょ》がどれほど凶悪《きょうあく》か知《し》ってるの？

だいじょうぶ？
ドピュッ
ああ…
なんてったって俺《おれ》はCOOL《クール》だからな…
なんなの!! アンタら!!
ムカツクわね!!
ほら!! もう!!
早《はや》く鎌《かま》に変身《へんしん》して!!
ギュム
いてて!! わかってるってっ!!
魔女《まじょ》のねェーちゃん
お前《まえ》の魂《たましい》
食《く》わせてもらうぜ!
？
クオオオオオオ

行《い》くよ ソウル＝イーター！
おう！
ポ
すっご〜い♪ 鎌《かま》になっちゃった!!
アンタの魂《だましい》 いただいて
最強《さいきょう》の武器《ぶき》「デスサイズ」を 作《つく》ってやる!!
気《き》に入《い》った♪ その鎌《かま》アタシに ちょうだい♡

パンパンプキン——
パンプキン!
ハロウィン砲《ほう》!!

がっはっは
キャバクラ
チュパ♡キャブラス
チュパ♡キャブラス
ワイワイ
ガヤガヤ
も〜♪
デスサイズ様《さま》ったら♡
エロエロなんだから♪
キャバ嬢《じょうエー》A
リ　サちゃん
むっあっはっは♪
マカパパ
そーいえば
デスサイズ様《さま》って
娘《むすめ》さんいるんでしょ？
キャバ嬢《じょうビー》B
アリサちゃん
ゔっ・・・
キ
ズ
どんな娘《こ》
なんですか？
うるうる
ちょっとダメよ
そんなコト
聞《き》いちゃ
ガク
エ？
なんで？

デスサイズ様《さま》って この通《とお》り 女《おんな》ぐせが悪《わる》いでしょ
そのせいで奥《おく》さんと うまくいってないのよ
あげく今《いま》 離婚調停中《りこんちょうていちゅう》 なの…
娘《むすめ》のマカちゃんも 「パパなんて大嫌《だいきら》い」 って言《い》って デスサイズ様《さま》を超《こ》える 鎌《かま》を作《つく》る決心《けっしん》で 鎌職人《かましょくにん》になってるのよ
しゅん
グスン
なんか フクザツね…
マガアー!!!
ガオー
ガオー
だっ
違《ちが》うんだよマカ――!! パパは……パパは……… マカとママのコトを一番《いちばん》 愛《あい》しているんだァアア!! 本当《ほんとう》なんだよ! 本当《ほんとう》なんだよ!
だ
だ
だ
ありがとう ございました
また 来《き》てね♡
ニコ
ピタ
うん
だだだ

そして
次《つぎ》の日《ひ》♪
くそぉ昨日《きのう》は
COOL《クール》な俺様《おれさま》を
魔女《まじょ》の色気《いろけ》で誘惑《ゆうわく》
しやがって…
今日《きょう》はみてろよ
さすが魔女《まじょ》ね
でもあんな色気《いろけ》に
負《ま》けるようじゃ
デスサイズには
なれないわよソウル
来《き》たぜ!!
♪
ゴク
んっ…
ピコ
ピコ
ドキ
ドキ
あっ
鎌《かま》のボクラ〜〜♡
ぎゅ〜う
ふぅ〜
はらほ〜ん

また次《つぎ》の日《ひ》…。
今日《きょう》はね この紙《かみ》にビッシリ作戦《さくせん》を書《か》いて来《き》たの♪
摩訶のブレアウィッチプロジェクト
なんだよ ソレ？「今日《きょう》の献立《こんだて》」じゃねェーんだぞ！紙一枚《かみいちまい》でどうにかなるかよ
じゃあ どうやって魔女《ブレア》に勝《か》つっていうの？
さぁね… 気合《きあい》だろ
何《なに》よ!! もう!! 二人《ふたり》で協力《きょうりょく》しないとだめなんだから!! キィ――――!!
ムキィー!!
ボカ
いていて… やめろ！わかったから…
ボカ
ボカ
パンパンプキン パンプキン
ひょこ
にゃは♪
ハロウィン砲《ほう》♡
ズドーン
K《ケー》・O《オー》!

VS《ヴァーサス》ブレア
第《だい》4ラウンド
FIGHT《ファイト》!
キャア!!
ドドドド
ガッ
ザザー
にゃは♪
君《きみ》じゃあ
ブレアに勝《か》てない
よ♪

何《なに》やってんだ!! また負《ま》けるじゃねぇかよこのボケ!
うるさいな!! もともとソウルが鼻血《はなぢ》ばかりたらしてるから私《わたし》の対応《たいおう》がクルッたのよ!!
ホント男《おとこ》って最低《さいてい》ね!! 魔女《ブレア》がオフロ入《はい》ってるの知《し》ってて勝手《かって》に突《つ》っこんでったんでしょ?
はあ!?
そんなコト俺《おれ》が知《し》るワケねェーだろ!!! なんで女《おんな》って理屈《りくつ》の通《とお》ってないコトをそんな自信《じしん》あり気《げ》に言《い》うんだよ!!
フン
しれ〜……
女《おんな》のカンよ
はぁ!? 意味《いみ》ワカンネ
ねェー ねェー 鎌《かま》のボクゥー ケンカしてるんだったらさあ――…
ブレアのモノになっちゃいなよ♡ おねエ〜さん 君《きみ》のするコト なんでも許《ゆる》してアゲチャウ♡
……
ちょっ ちょっと!! これは私《わたし》の鎌《かま》よ 所有者《しょゆうしゃ》ぬきで話《はなし》進《すす》めないで!!
ふ〜ん そう…

じゃあ 殺《ころ》して奪《うば》うね
きゅっ

このォ!!
ガン
んんんん
どこに!?
ダン
パンパンプキン
パンプキン
!!
ヒウロロロ

スマッシングパンプキン!!
ああっ!!
行《い》ってズワン♪
はいな!!
うっ?
にゃは
うわぁあ
いやぁあああ~~~

んぐっ
……
どうしよう
ソウル……
全然《ぜんぜん》歯《は》が立《た》た
ないよ……
ねェ!!
ソウルってば!!
……
ねェー!!
ブレアのモノに
なっちゃいなよ♡
………

いや〜 キャバクラは 楽《たの》しいなァ〜
テク
テク
まったく
娘《むすめ》が大変《たいへん》な時《とき》に 何《なに》をやってるんだい 君《きみ》は………
何《なに》ッ!!
マカがどうか したのか!?
魔女《まじょ》との戦闘《せんとう》で 大《だい》ピンチ!!
アリャ 死《し》ぬね
ズゴゴ
なにッいいい!!
クソ!! 待《ま》ってろ!! マカ!!
ゴォオオ
待《ま》ちなさい!!
STOP
我々《われわれ》が出向《でむ》けば あれくらいの魔女《まじょ》 鎌《かま》の一振《ひとふ》り――… いや……
「脳天直撃《のうてんちょくげき》 死神《しにがみ》チョップ」で 一撃粉砕《いちげきふんさい》さ
でもそういう 問題《もんだい》じゃない でしょ?
君《きみ》もあの子《こ》の 父親《ちちおや》ならわかるね

………
マカ…
ガガガ
あああ…!
カ
ゴン
ねェ… ソウル？ どうしてなの？ なんで何《なに》も答《こた》えてくれないのよ!!
……
マカ…
ソウル♪
もう… いいや
エ？

コオオオオ
ちょっと ソウル？ 何《なに》やってんの!?
死神様《しにがみさま》の「デスサイズ」になるのもうやめた…
俺《おれ》ー…
ブレアおねエータマの鎌《かま》になる♡
じゅるる
ガゴーン
はァ!!?
や〜〜〜ん♡ ホントにィ〜
うれし〜♪
…
そうだそうだ!! マカから手《て》を引け!!
死神チョップ
君《きみ》ねェー…

ブレア!!
アンタが魔法《まほう》でソウルの心《こころ》をたぶらかしているのね!!
バカだなお前《まえ》……
男《おとこ》なら誰《だれ》でもお前《まえ》みたいなチンチクリンよりナイスバディーのムチムチねェちゃんの方《ほう》がいいに決《き》まってんだろ!!
…な……
本当《ほんとう》だ!!たしかにスゲーいい女《おんな》♡
君《きみ》は少《すこ》し黙《だま》ってなさい!!
なんなの?

男《おとこ》なんて最低《さいてい》みんな浮気《うわき》ばっかり…
信《しん》じられない
お前《まえ》らみんな
死《し》んじゃえ!!!
……
ねェ…ソウル…
さっき女《おんな》は理屈《りくつ》の通《とお》ってないこと言《い》うって言《い》ったよね?

男《おとこ》の浮気《うわき》に理屈《りくつ》があんのか!!
バカヤロ――!!
フン!
そんなコト俺《おれ》が知《し》るかよ
COOL《クール》な男《おとこ》は浮気《うわき》なんてしねェからな
にゃ?
!!

マカアア!!
うん!!

やったな
マカ!
うん♡
エヘ♡
ありがとう
ソウル♪

姿《すがた》・形《かたち》が問題《もんだい》じゃねエ
問題《もんだい》なのは"魂《たましい》"!! だろ!?
これを食《た》べれば
ああ… 俺《おれ》もデスサイズになれる
パクッ
ゴク ゴク
オオオオオオオ!!
力《ちから》が! 力《ちから》がみなぎって―…!!!

こない!
ダッラ～!!
へな
エ!?
ゲップ
やだ!!
ビク
ビク
テク
テク
テク
ニャー♡
…
…
ニャ♡
まさか
お前《まえ》…
まさか
アンタ…
ニャ?
ビクビク
ブレア自分《じぶん》のコト
魔女《まじょ》だニャんて言《い》って
ニャいよ♪
人間《にんげん》が勝手《かって》に言《い》ってる
だけだも～ん!

ブレアは魔力《まりょく》が
スッゴイ強《つよ》い
ただのネコよん♥
クス♪
ポン
「姿《すがた》・形《かたち》は
問題《もんだい》じゃない」
でしょ？
はあ!!?
アチャ――…
ネコでもいい!!
決《き》めた!! オレは君《きみ》の
マタタビになる!!!
ってコトは俺《おれ》!!
「99個《こ》の人間《にんげん》の魂《たましい》」と
「ネコの魂《たましい》」を
食《く》ったってコトかぁ!!?
クスクス♪
エエ!?
もしかして
失敗《しっぱい》!?

掲載・月刊少年ガンガン増刊ガンガンパワード平成15年夏季号

ソウルイーター

SOUL EATER

BLACK☆

【ブラック☆スター】

少年《しょうねん》の名《な》は「ブラック☆スター」。
闇《やみ》に身《み》をひそめ——、
私《わたし》に歯向《はむ》かうゴミはすべて消《け》せ!
ギャングの親分《おやぶん》アルカポネ
You《ユー》 know《ノウ》?
闇《やみ》と共《とも》に動《うご》く暗殺者《あんさつしゃ》——。
椿《つばき》……
あいつが今回《こんかい》のターゲットか?
ええ…彼《かれ》の「魂《たましい》」をいただくわよ!!

暗殺道《あんさつどう》其《そ》の一《いち》！
闇《やみ》にまぎれ…息《いき》を殺《ころ》し…目標《もくひょう》のスキをうかがうべし
魔暗器《まあんき》「椿《つばき》」を扱《あつか》いし者《もの》なり。
暗殺道《あんさつどう》其《そ》の二《に》！
ふー
ふー
ふー
目標《もくひょう》と同調《どうちょう》し目標《もくひょう》の思考《しこう》・行動《こうどう》を推測《すいそく》せよ！
ふー
ふー
しかし━…少年《しょうねん》には大《おお》きな問題《もんだい》があった…。
暗殺道《あんさつどう》其《そ》の三《さん》！
目標《もくひょう》が自分《じぶん》の存在《そんざい》に気付《きづ》く前《まえ》に相手《あいて》を倒《たお》せ
行《い》くぜ…
暗殺者《あんさつしゃ》として。大《おお》きな欠点《けってん》が──…。

俺様《おれさま》がブラック☆スターだッ!!
暗殺《あんさつ》しに来《き》てやったぜい!!
ひゃっはぁ〜!!
どが〜ん!!
!?
!!
目立《めだ》ちたがり屋《や》だった…。
きまったぜ!!
私《わたし》はマイクじゃない!! 武器《ぶき》よ! 鎖鎌《くさりがま》!! あと暗殺《あんさつ》の意味《いみ》わかってる?

ダ ダ ダ
何《なに》もんだ!?
お前《まえ》らぁ!!
パン
パン
のわっ
きゃあ!
一時《いち じ》退散《たいさん》するぞ椿《つばき》ィー!
ひゃっはー☆
うう〜〜
またこうなるのォ〜
椿《つばき》! モード「けむり玉《だま》」だ!!
はい!!
どろん!!
消《き》えたゾ
ジャパニーズニンジャ!?
モク
モク
ドン
アルカポネ!!
フ…なんだ?
朗報《ろうほう》です
〝魔女《まじょ》〟の居所《いどころ》がわかりました

そいつは朗報《ろうほう》だ
魔女《まじょ》の力《ちから》を手《て》に入《い》れればわしのファミリーは無敵《むてき》だ!! You《ユー》 know《ノウ》?
ひゃっは──☆ 今日《きょう》も最高《さいこう》のステージだったなぁー♪
いまだに一《ひと》つも魂《たましい》を吸収《きゅうしゅう》できてないなんて…
これじゃー私《わたし》──…
ホント俺《おれ》ってBIG《ビッグ》だぜ!!
疑心暗鬼《ぎしんあんき》になりそう
暗器職人《あんきしょくにん》
ブラック☆スター
魔暗器《まあんき》
椿《つばき》

ダジャレなんてあんまりBIG《ビッグ》なギャグじゃねェな!!
そう？ごめんね
22
23
でもBIG《ビッグ》な俺《おれ》はダジャレ君《くん》に対《たい》して冷《つめ》たく接《せっ》したりはしない!! 彼《かれ》はナイーブだからな!!
そんな俺様《おれさま》はどう彼《かれ》と接《せっ》するかわかるか？
フルフル
「ヘタなシャレはやめんシャイ」!! そうダジャレをぶちこんでやるのさ!!
エッヘン
シャレになってないし…
どうだ!! 目玉《めだま》がめり込《こ》む驚《おどろ》きだろ!? 逆《ぎゃく》に! ひゃっはっはっはっはっ
ホント! すごいビックリ!! エヘ♪
あ〜あこんなんじゃ死神様《しにがみさま》に会《あ》わせる顔《かお》がないわ…
サッ
ボン
モコモン

やや どーも どーも
魂《たましい》の集《あつ》まり具合《ぐあい》は どんな感《かん》じ？
モク
モク
死神様《しにがみさま》
それが…… まだ…… 一《ひと》つも……
アハハ
タラ
タラ
タラ
エ!? ウソ!? マジで!?
心配《しんぱい》すんなってのダンナ!! ちゃんと椿《つばき》を「ダンナの武器《ぶき》」にしてやっからさぁ～
それまで俺《おれ》のサイン色紙《しきし》でがまんしろや！ どうよ？ もう「武器《ぶき》」いらねェんじゃねェ!?
ビッ
BLACK☆
ダンナへ
死神チョップ
ぐでー
本当《ほんとう》にすみません 一生《いっしょう》かけてでも 魂を集《あつ》めますんで
挑戦《ちょうせん》してみる？
エ？

うん…
原則《げんそく》としては「99個《こ》の人間《にんげん》の魂《たましい》」と「1個《こ》の魔女《まじょ》の魂《たましい》」を吸収《きゅうしゅう》することで椿《つばき》ちゃんは「死神様《デスサイズ》の武器」になるんだけど
特例《とくれい》で「99個《こ》の人間《にんげん》の魂《たましい》」を集《あつ》めなくてもいい方法《ほうほう》があるのよ
じっさい！
なんだよ その方法《ほうほう》って♪
ズイ
？
うん
人間《にんげん》の中《なか》には人並《ひとな》み外《はず》れた「強靭《きょうじん》な魂《たましい》」を持《も》った人間《にんげん》がいる
強
フヨン
フヨン
フヨン
今《いま》 君《きみ》たちのいる町《まち》の近《ちか》くにも——
その「強靭《きょうじん》な魂《たましい》」を持《も》った一人《ひとり》の男《おとこ》がいるのよ
ムッ
そいつ俺《おれ》よりBIG《ビッグ》なのか？

「用心棒《ようじんぼう》ミフネ」…
「魔女《まじょ》アンジェラ」を守《まも》るすご腕《うで》の用心棒《ようじんぼう》さ
ミフネの「強靭《きょうじん》な魂《ないい》」は「99個《こ》の人間《にんげん》の魂《ないい》」に匹敵《ひってき》する！
ってことは「用心棒《ミフネ》」と「魔女《アンジェラ》」を倒《たお》せば――…!!
★99＋1＝100
二石百鳥《にせきひゃくちょう》!!「死神様の武器《デスサイズ》」の出来上《できあ》がりじゃん☆
そうと決《き》まれば善《ぜん》は急《いそ》げだぜ！
ダッ
行《い》くゾ椿《つばき》!!
うん
ザッ
あっ!!ちょっと君《きみ》たち…
ビヨーーン
「魔女《まじょ》アンジェラ」の方《ほう》にも一《ひと》つ問題《もんだい》が！
って聞《き》いてねエーや

廃城《はいじょう》「シンデル魔城《まじょう》」
この城《しろ》に「魔女《まじょ》」が住《す》んでる様《よう》です
ゾロゾロ
魔女《まじょ》の力《ちから》でわしのファミリーは最強《さいきょう》だ!!
You《ユー》 know《ノウ》?
ん
?
刀

「強靭《きょうじん》な魂《たましい》」の持《も》ち主《ぬし》
用心棒《ようじんぼう》　ミフネ
暗黒街《あんこくがい》の帝王《ていおう》がここになんの用《よう》だ？
場合《ばあい》によっては――…
斬《き》るぞ
はしゃぎやがって…
クイ
消《け》せ!!
チャッ
はい

「ただ今 椿《つばき》は入浴中《にゅうよくちゅう》であります」
「私《わたくし》ブラック☆スターはみな様《さま》のために彼女《かのじょ》をのぞこうと思《おも》っております」
客《きゃく》1：「さすがブラック☆スターみんなの気持《きも》ちを心得《こころえ》てるぜ!!」
客《きゃく》2：「やっぱあんたこそBIG《ビッグ》スターだ!!」
客《きゃく》3：「うんうん♪」
黄色《きいろ》い声《こえ》：「キャー♡チューしてェ結婚《けっこん》してェ〜〜♡」
「普通《ふつう》の魂《たましい》」も取《と》れないのにミフネ《用心棒》と魔女《まじょ》と戦《たたか》うなんて無理《むり》よ！大口《おおぐち》ばっかたたかないの!!
サザッ
…椿《つばき》め〜〜〜
誰《だれ》が大口《おおぐち》たたきだって？
俺《おれ》にとって気配《けはい》を消《け》すことなんてまばたきするより簡単《かんたん》だっつーの
のぞき道《どう》 其《そ》の一《いち》!!
はやる気持《きも》ちを抑《おさ》え ゆっくりと忍《しの》びよるべし!!
ササッ
ドッ
ドッ
ドッ
ドッ
おお!! すげエ!!

ひやっはあ～☆
のぞき道《どう》其《そ》の二《に》
そのまま静《しず》かに
じっくり鑑賞《かんしょう》タイム～～♡
……
声《こえ》でかすぎ…
バレバレ…
シャキィ

ストン
ぶしゅううう
のぞくならしっかりと気配《けはい》を消《け》しなさい！
それでも暗殺者《あんさつしゃ》なの？
まったくもう……
ただ今《いま》死亡中《しぼうちゅう》——…気配《けはい》ゼロ——…OK《オーケー》——…？
ビッ
ビッ
OK《オーケー》♪

太陽
ひゃっはぁー☆
目《め》指《ざ》せ!! 「シンデル魔城《まじょう》」!
ちょっと… ブラック☆スター?
ミフネたちに勝《か》つために何《なに》か作戦《さくせん》でもあるの?
んあ?
スタッ
ああ!! もちろん!! まず俺様《おれさま》のとーじょーシーンだが———……
はいはい 無《な》いのね… よくわかったわ…
シュタ
タッ
でもな… 椿《つばき》———…

俺《おれ》 お前《まえ》を絶対《ぜったい》「デスサイズ」にしてやるから
まかせとけ
見《み》えてきたぜ!!
うん
知《し》ってる♪
あそこに魔女《まじょ》がいるのね
タッ
なんだよ!?
ここは…
KEEP OUT・KEEP OUT・KEEP OUT・KEEP OUT

!!
KEEP OUT·KEEP OUT·KEEP OUT·
T·KEEP OUT
KEEP OUT

!!
いっ!?
ひぃぃぃ
KEEP OUT・KEEP OUT・KEEP OUT
ヒュン
ヒュン
タン
今日《きょう》はずいぶんと…
騒《さわ》がしいな

お前《まえ》が例《れい》の「用心棒《ようじんぼう》」だな！
ここにいる連中《れんちゅう》全部《ぜんぶ》アンタがやったのか？
お前《まえ》らも「魔女《まじょ》の力《ちから》」を手《て》に入《い》れに来《き》たのか？
ああ あと お前《まえ》の「魂《たましい》」もな！
コオオオオ
オ
オ
椿《つばき》…!!
はい
スィィィ

KEEP OUT・KEEP OUT・KEEP OUT・KEEP OUT
お前《まえ》…
武器職人《ぶきしょくにん》！
それで「魔女《まじょ》の魂《たましい》」を狙《ねら》うか——…
BIG《ビッグ》な俺様《おれさま》を前《まえ》にすると自分《じぶん》が小《ちい》さく見《み》えるだろ？
わかるぜ その気持《きも》ち
俺《おれ》も昔《むかし》は自分《じぶん》のBIG《ビッグ》さにビビッて鏡《かがみ》の前《まえ》に立《た》てなかったもんよ
斬《き》る

ひゃっはー!!
俺《おれ》を斬《き》りたきゃ
大仏《だいぶつ》でも溶《と》かして
デッカイ刀《かたな》でも
作《つく》るんだな!
ヒュイ
へ
武器《ぶき》
いただきーっ!
!!
カチャ
やべ!

ザン
ギリ
ギリ
武器《ぶき》に助《たす》けられたな…普通《ふつう》の鎌《かま》なら砕《くだ》けていた所《ところ》だ…
カ
チチ
カッ
あわわわっ!!

なんだアイツ
メチャメチャ
強《つ》えーじゃん
タン
タン
タン
あたり前《まえ》でしょ!
「強靱《きょうじん》な魂《たましい》」の
持《も》ち主《ぬし》なんだから!
ビュン!!
あわわっ
ゴン
さっさと
ここから
立《た》ち去《さ》れ!!
子供《こども》を斬《き》ると
寝覚《ねざ》めが悪《わる》い
んだとテメェ!!
俺《おれ》が子供《こども》だぁ!?
(子供《こども》)＝(小《ちい》さい)
BIG《ビッグ》とかけ離《はな》れてん
じゃねェかよう!!
椿《つばき》!!
暗器《あんき》モード
「手裏剣《しゅりけん》」!!
はい…
テメエも
4等分《とうぶん》にすりゃあ
さぁ〜!!
ズパパ

俺《おれ》より小《ちい》さく
なんだろがよォおおお!!

フォン
フォン
フォン
フォン
椿《つばき》!!
モード「けむり玉《だま》」!!
はい!!
!?
シッ
ボワン
モコモン
モコモン
スッ

ひゃっはー☆「魂《たましい》」もらったあ!!
バカ!! また大声《おおごえ》出《だ》して…
せっかく死角《しかく》からの攻撃《こうげき》チャンスを!!
バカめ

KEEP OUT
ブラック☆スター!!
…そんな……
うそ……
シュゥゥゥ
KEEP OUT

ガ
ゴボ ゴボ
ミフネ テメエー! 生意気《なまいき》だぞ!!
「みねうち」なんて 俺様《おれさま》のような大物《おおもの》が するコト なんだよ!!
お前《まえ》…
その娘《むすめ》に 失礼《しつれい》だと 思《おも》わないのか?
!!
?
?
いままでお前《まえ》が ここまで立《た》ちまわれたのは その武器《ぶき》の性能《せいのう》のおかげだ
いくら武器《ぶき》が優《すぐ》れた物《もの》でも 使《つか》い手《て》が能無《のうな》しでは どうにもならん
お前《まえ》こそ小物《こもの》!! そうだろ!?
KEEP OUT

そんなコトないわ!!
ブラック☆スターはちょっと…ちょっとおバカなだけよ!!
本当《ほんとう》はやればできる子《こ》なの
ミフネ…
お前《まえ》のこんたんはなんだ!?
俺《おれ》は用心棒《ようじんぼう》——…
魔女《アンジェラ》を守《まも》るコトだ!
いや違《ちが》う!!
違《ちが》うだろ!!
ミフネ
俺《おれ》にはわかる!!
わかるんだよ!!
ミフネ
俺様《おれさま》を小物《こもの》呼《よ》ばわりして自分《じぶん》だけ目立《めだ》つつもりだろ!!!
?

そんなのぜってェ
許《ゆる》せねェ!!!!
主役《しゅやく》は俺様《おれさま》!!!!
天上天下唯我独尊
そうだろ!!?

……
理由《りゆう》はどうあれ
目《め》の色《いろ》が変《か》わった…
椿《つばき》…
モード「忍者刀《にんじゃとう》」!!
はい!
ドム!!

ミフネ…
小手先《こてさき》ぬきの真剣勝負《しんけんしょうぶ》──…
今度《こんど》は「みねうち」ではすまんぞ
暗殺道《あんさつどう》其《そ》の一《いち》──…
闇《やみ》にまぎれそっと息《いき》を殺《ころ》し目標《もくひょう》のスキをうかがうべし
ジリ
暗殺道《あんさつどう》其《そ》の二《に》──…

目標《もくひょう》と同調《どうちょう》し目標《もくひょう》の思考《しこう》・行動《こうどう》を推測《すいそく》せよ…
…
どういうことだ…
あいつさっきまでのこぞうか…!?
暗殺道《あんさつどう》其《そ》の三《さん》———…
バカな…!!
やつから気配《けはい》をまるで感《かん》じない———…イヤ…
かすかに気配《けはい》は感《かん》じる!!
…しかし明《あき》らかに違《ちが》う者《もの》の気配《けはい》だ…!!

まさか…
お前《まえ》は…!?
魔暗器《まあんき》「椿《つばき》」…
モード「偽星《ダミースター》」
暗殺道《あんさつどう》其の三——…
目標《もくひょう》が自分《じぶん》の存在《そんざい》に気付《きづ》く前《まえ》に!
相手《あいて》を倒《たお》せ!!

必殺《ひっさつ》!!
黒星《こくせい》ビッグウェーブ!!!

俺《おれ》こそ
神《かみ》だ!!

小手先《こてさき》ぬきの真剣勝負《しんけんしょうぶ》——
これが暗殺者《あんさつしゃ》のやり方《かた》よ!!
KEEP OUT・KEEP OUT・KEEP OUT
ゴゴ
カッ…
パラ
不覚《ふかく》…
パラ
邪悪《じゃあく》な魔女《まじょ》を守《まも》る用心棒《ようじんぼう》——…お前《まえ》の様《よう》な悪党《あくとう》は死《し》んで当然《とうぜん》だ!!
そして…何《なに》より…!
グッ

お前《まえ》は俺《おれ》より
目立《めだ》とうとした！
「魂《たましい》」を
もらうぞ!!
椿《つばき》!!
はい
ボッ
ジャラ
オオオ
ドァァ
やめてっ!!
ズタダッー

アタフタ
アタフタ
チビ魔女《まじょ》アンジェラ
ミフネをいじめないれ!!
アンジェラ!!
ミフネはまだ魔力《まりょく》の弱《よわ》いアンのことを人間《にんげん》から守《まも》ってくれてるの!!
だからミフネをいじめないれ!!
あたふた
あたふた
あたふた
…
——…こいつがアンジェラ…?
…
ポカ
バカバカ
ポカ
ポカ

瀕死《ひんし》の「強靭《きょうじん》な魂《たましい》」と
魔力《まりょく》の無《な》い魔女《まじょ》…
こんな絶好《ぜっこう》の
チャンスはないわ
…
ああ……
…でもよ……
ポカ ポカ
バカ バカ
バカァ!!
ザ
ギ
!?
ぶじゅ〜
NO《ノー》〜〜〜!!
殺《ころ》すぞ
クソチビ!!
テケ テケ テケ
ミフネエ〜
俺《おれ》の「魂《たましい》」なら
くれてやる!!
だがアンジェラを
殺《ころ》すというのなら
刀《かたな》にちかって
死守《ししゅ》するぞ!!
ぐすん
…
じ〜ん
どうするの?

ヘンッ！
幼稚《ようち》な魔女《まじょ》を守《まも》る用心棒《ようじんぼう》だぁ？カッコ悪《わる》すぎて殺《ころ》す気《き》もなえちまったよ
ぐじぐじ
行《い》こうぜ椿《つばき》！夕《ゆう》メシの時間《じかん》だ
夕日
クス♪
はい♪
それに…
子供《こども》を斬《き》ると寝覚《ねざ》めが悪《わる》いしな
ふっ
い〜〜〜
悪《わる》いな椿《つばき》
でも明日《あした》までに「魂《たましい》」百個《ひゃっこ》集《あつ》めてやるから安心《あんしん》しろ！
うん♪

掲載・月刊少年ガンガン増刊ガンガンパワード平成15年秋季号

SOUL EATER

【デス・ザ・キッド】

デス・ザ・キッド、
「死《しに》神《がみ》様《さま》」の息《むす》子《こ》。
DEATH
完《かん》璧《ぺき》な少《しょう》年《ねん》。

完璧《かんぺき》な才能《さいのう》!!
終《お》わりだ
ルパン
ちっ!!
怪盗《かいとう》 ルパン
ここまでか…
!?
銃《じゅう》が
人《ひと》に〜〜？

怪盗《かいとう》ルパン
お前《まえ》の魂《たましい》いただく!!
あまりに完璧主義《かんぺきしゅぎ》なあまり…
……
……
オイ!! パティ!! お前《まえ》!! すこし立《た》ち位置《いち》がずれてるぞ!!
ありり? ごみんに!
ビクッ
ダン
ダン
病的《びょうてき》に神経質《しんけいしつ》である。

なあ…キッド… 今《いま》はそんなコト 言《い》ってる場合《ばあい》じゃ ねェだろ…？
俺《おれ》はどんなときも きっちり〝完璧《かんぺき》〟に やりたいんだ
きゃはは 怪盗《かいとう》が 逃《に》げてく♪
テケケ ケケケケ
金
それにいつも言《い》ってるだろ？ 俺《おれ》の美学《びがく》は左右対称《さゆうたいしょう》!! 左右対称《シンメトリー》こそ最高《さいこう》に美《うつく》しい
クイクイ
クイクイ
死神様《しにがみさま》の息子《むすこ》
デス・ザ・キッド
始《はじ》まった ………
だから俺《おれ》は お前《まえ》ら二丁拳銃《にちょうけんじゅう》を 愛用《あいよう》してるのだ 持《も》ったトキ 左右対称《さゆうたいしょう》になるだろ？
二丁魔拳銃《にちょうまけんじゅう》トンプソン姉妹《しまい》
パティー＝トンプソン（妹《いもうと》）
&《アンド》
リズ＝トンプソン（姉《あね》）
くどくど
それにひきかえ人間時《にんげんじ》の お前《まえ》らは…髪型《かみがた》も 身長《しんちょう》も違《ちが》うし……

胸《むね》の大《おお》きさも違《ちが》うじゃないか
ボヨヨン♡
ポヨン♡
ブロン
悪《わる》かったな妹《いもうと》より小《ちい》さくて!!
ヒョイ
だいたい何《なに》が左右対称《シンメトリー》だよ!! お前《まえ》の左髪《ひだりかみ》にしかついてない三本線《さんぼんせん》!! ぜんぜん左右対称《さゆうたいしょう》じゃねェだろ!!
ライト
レフト
コレ
コレ
なんてことだ… 俺《おれ》はみにくいブタ野郎《やろう》だ… なんで生《う》まれつき左髪《ひだりかみ》だけこんな髪《かみ》の色《いろ》なんだ…… 俺《おれ》はできそこないのゴミだめ的《てき》存在《そんざい》だ——…
ズドン
ドンドン
クソ… 鬱《うつ》だ… 死《し》のう…
あ～あ…
出《で》た出《で》た——… …パティ……
きゃはは♪
ほ～い♪

キッドは最高《さいこう》だぜ！お前《まえ》は次代《じだい》を担《にな》う死神《しにがみ》だろ!!
三本線《さんぼんせん》がなんだってんだ!!
キッド君《くん》はねェブタじゃないよ♪ブタは「ニャー」って鳴《な》くんだよ♪
だからガンバロ!!
ポンポン
ゴミだめ的《てき》存在《そんざい》じゃないと？
ああ!!もちろん
ゴミは「ブー」って鳴《な》くもん♪
さぁ〜て死神様《父上》に報告《ほうこく》するか♪
ぶんぶん
ほ〜い♪
扱《あつか》いやすいのか…にくいのか…これだからボンボンは…
1
2
3
ブウォオオ

シュ
うすっ
う〜〜す♪
相変《あいか》わらず髪《かみ》の毛《け》の三本線《さんぼんせん》キュート♡だね！
死神様《しにがみさま》
父上《ちちうえ》…うれしくないよ
俺《おれ》がそのコト気《き》にしてるからってそんなコト言《い》わなくていい
まっまっいいじゃない♪
「魂集《たましいあつ》め」も順調《じゅんちょう》みたいだし
キッドは死神《しにがみ》なんだから別《べつ》に「魂集《たましいあつ》め」で武器《ぶき》を育《そだ》てなくてもいいのにねェ〜
武器職人《ぶきしょくにん》にまかせておけば…
俺《おれ》は自分《じぶん》の武器《ぶき》は自分《じぶん》できっちり作《つく》りたいんだ
武器《ぶき》も二《ふた》つだし「魂集《たましいあつ》め」も二倍《にばい》だからね
う〜す♪うす♪
お〜す
おす♪

だからここらで「魂《たましい》」をいっきに集《あつ》めたいんだ
なんかいいターゲットはないかな？
ああ ほ〜ゆ〜ことならこんなんあるけど
どうかしら？
灼熱《しゃくねつ》の国《くに》へジプトにある「古代遺跡《ピラミッド》アヌビス」！
そこで「大量《たいりょう》の迷《まよ》ってる魂《たましい》」を使《つか》ってミイラを作《つく》ってる「死霊使《ネクロマンサー》いの魔女《まじょ》」がいるのよ
夜《よ》な夜《よ》なミイラを連《つ》れてねり歩《ある》き人々《ひとびと》を襲《おそ》ってんのまいるよね…マジで…
「古代遺跡《ピラミッド》アヌビス」かぁ
あの時代《じだい》の建築物《けんちくぶつ》は左右対称《シンメトリー》が基本《きほん》だからな
いいね♪そこ行《い》ってくる
遺跡観賞《いせきかんしょう》に魔女退治《まじょたいじ》！
なかなか♪
リズ パティー 色々《いろいろ》苦労《くろう》かけるけどよろしくね
うい〜〜〜
ほ〜い♪
それでは行ってきます

古代《こだい》遺跡《いせき》アヌビス
ゴゴゴゴ
ガシャン
ウィィィ…
ザン

パシッ
うむ！
みごとな
左右対称《シンメトリー》だ！
くゥ～～～……
ずっと武器《ぶき》のままだと
肩《かた》こるなあ～～～……
でっけェ～～!!
しかし
ほこりっぽいな～
ヤダヤダ
これだからボンボンは…
私《わたし》らストリート育《そだ》ちには
こんなのぜんぜん!!
ねェねェ
早《はや》く中入《なかはい》ろ♪
おう！
目《め》ェかゆ…

うむ! 中《なか》も すばらしいぃ!
やだなぁ〜 私《わたし》こうゆう所《ところ》 ニガテだよォ〜…
ねェーねェー お姉《ねえ》ちゃん
私《わたし》が思《おも》うに まばたきすると 目玉《めだま》がつぶれたら みんなまばたきしないと 思《おも》うの どして?
そりゃ目《め》が 見《み》えなくなるのがイヤ だからだろ? だからみんな目《め》がかわいて 目薬《めぐすり》がバカ売《う》れする だろうな…
ふ〜んじゃあ 目薬《めぐすり》いっぱい パクッてこないと ダネ!
…
その前《まえ》に まばたきしても 目《め》はつぶれない だろ?
あ! そっか♪ お姉《ねえ》ちゃん 頭《あたま》いいね!

？
どうしたよ？ キッド…
だまりこくっちまって…？
ん？
イヤ…
気《き》のせいかもしれんが…
我《わ》が家《や》の玄関《げんかん》の額縁《がくぶち》が
少《すこ》し右《みぎ》に傾《かたむ》いてた様《よう》な
気《き》がしてな……
そんなこと
今《いま》はどーでもいいだろ!!!
ボーン
どうでもいい
コトないだろ!?
ああ～…どうしよう…!!
すべてが否定《ひてい》されてる
ようだ……!!
クソ！
鬱《うつ》だ!!
確《たし》かめてくる!!
あぶら汗が止まらん～…
待《ま》て!! 待《ま》て!!
待《ま》て!! 待《ま》て!!
神経質《しんけいしつ》なのも
たいがいにしろ！
額縁《がくぶち》なんか
帰《かえ》ってから
確《たし》かめろよ!!
ああ～
気《き》になる…
キュ♡
ずるずる
まったく…
う～ん…

ず
し
ぎょ…
きゃ〜〜!!
あう
ミミイラだ!!
パティ〜〜〜……
ゾロ
ゾロ
ゾロ
ゾロ
ププ
ププ
ププ
でもなんか
カワイイな♪
ププ

ぶべぇあ〜!!!
ぐちゃ〜
ひィイイイん!!
なめられた! なめられた!
なめられた! なめられた!
エンガチョ! エンガチョ!
エンガチョ! エンガチョ!
ブル ブル
!!!
きゃはは きもい♪ きもい♪
ぐすん
よくもやりやがったな!! パティー!! 変身《へんしん》だ!! キッド!! 行くよ!!
!?
あれ?
パッ
あり?
ヒラ ヒラ

リズ・パティーへ
やっぱりどうしても
気になるので
いったん帰りマス
暗いので足もとに
気をつけてね
デス・ザ・キッド
ウソだろ!?
ドイ〜ン
ぎえぼっ
パティー! 私《わたし》がやる!!
タン
タン
タン
ほいほい
変身《へんしん》〜♪
ボッ
ボッ
ボッ
タン
タン
キン
カン

ギョロ
!!
バトンタッチ!
シュ
ッ
ほ〜い
ガッ
ッ
チャ
フォーン
フォーン
カチャ
コラ!!
私《わたし》を口《くち》の中《なか》に
入《い》れるなぁあ〜

ごみ~んに♪
タンッ
タンッ
タンッ
タンッ
!
タッチ♪
おう!!
チャッ
グッ

ド
オ
オ
私《わたし》の中《なか》の私《わたし》の心臓《しんぞう》…
私《わたし》の像《ぞう》の私《わたし》の心臓《しんぞう》…
魔女《まじょ》(死霊使い《ネクロマンサー》)サマンサ
ファラオよ…
よみがえれ!!
ムフフ♥

ファラオの怒《いか》り――……!!
ピキ
ガッ
ひ!? つかまれたわ!?
引《ひ》っぱられたわ!!
食べられそうだわ
死者の書1
悪霊《あくりょう》 ファラオの怒《いか》り
我《わ》が民《たみ》の魂《たましい》をもてあそびおって…
ファラオの怒《いか》りを受《う》けよ!!
バタン
ぐちゃ
ばり
ぐちゃ
ばり
ぐちゃ

シャアアァ
うむっ
やはり気《き》のせいだったか
すばらしい
さてと… リズとパティーが待《ま》ってる…
パチン
戻《もど》るか

ヒュロロロロ
シュウウウウ
これでミイラの魂は全部《ぜんぶ》吸収《きゅうしゅう》したな・・きっちり平等《びょうどう》にわけた？
うん♪・・・きっちりわけないとキッド君《くん》鬱《うつ》るモンネ♪
ブッ
ブッ
うう〜…気味《きみ》悪《わる》い…
なんか奥《おく》から変《へん》な声《こえ》が聞《き》こえるし…
なんだろ？行《い》こ♪行《い》こ♪
きゃ♡
きゃ♡
エ〜〜…
おろろおろろ
キッドが来《く》るまで待《ま》とうよ〜ん…
大丈夫《だいじょうぶ》♪お姉《ねえ》ちゃんがいるし
ウソ〜ン
この奥《おく》から聞《き》こえるネ♪
「そ〜」っとな
「そ〜」っと
ブッブッうるせエ〜ぞォおオラァー!!!
お姉《ねえ》ちゃんを泣《な》かさないで…
だぁ〜

きゃはは♪
あ〜〜……
食《た》べのこしだわ
ギャアアアアア!!
カリ カリ
ファラオの怒《いか》り
ヘオオオ
ああああ!!

まった会《あ》ったな
アヌビス！
ゴ
ゴ
ゴ
ゴ
なんど見《み》ても
お前《まえ》は
すばらしい！
スタン
ガー
ん？
コロロ
ゴロロ
コロロン
キュー
お前《まえ》は…!?
キュー
みごとな左右対称《シンメトリー》!!
ライト
レフト
キュー
すばらしい!!

………
イヤ…
※4本《ほん》
※3本《ほん》
拡大《かくだい》
ブッ
虫《むし》酸《ず》が走《はし》るわ!!!
ゴッ
ゴッ
ゴッ
プス
プス
ガッ
ガッ
まったく
イライラ
ふゆかいだ
ガー
………
………
リズ!!
パティー!!
キッド!?

……
ずるる
あら
むゅう

すまん
じゃました!!
テケ
ポー
テケ
待《ま》て!! 待《ま》て!!
待《ま》て!! 待《ま》て!!
!!
ニュ
ル
ル

なんだこいつは?
さっさと銃《じゅう》に変身《へんしん》しろ!!
それがこの包帯《ほうたい》に触《ふ》れると力《ちから》が吸《す》いとられるんだ…
待《ま》ってろ
トルネードフリップ!!

ズ
パ
よっしゃ!!
変《へん》〜〜〜身《しん》♪
ファラオの魂《たましい》か…
ガチャ
もらった
チャッ
チャッ

!!
おいキッド大丈夫《だいじょうぶ》か？
…

ズ
あいつを
よく見《み》ろ…
何《なに》やってんだよ
キッド!!
お前《まえ》らしくない!!
がっ…
パラ
パラ
ごっごっ
あいつ…

レフト　ライト
みごとな左右対称《シンメトリー》なんだ！
はあ!?
キッド!!
キッド君《くん》

キュルルル
こんなトキ左右対称《さゆうたいしょう》なんてどうでもいいだろ!!?
このままじゃ殺《ころ》されちまうぞ!!
私達《わたしたち》を使《つか》って完璧《かんぺき》な死神《しにがみ》になるんじゃないのかよ!!
…
キュル
シャッ
むねん…

俺《おれ》には
撃《う》てない
キッド!!
キッド君《くん》!!
ファラオの怒《いか》り!
ギュッ
怒《いか》り!!
怒《いか》り!!

怒《いか》り!!
ドッ
いかり!!
ドン
イカリ!!
I・KARI!!
ドン
ぐしゃー
ファラオ ファラオ ファラオ
パカ
いかり いかり いかり
ズイ
我《われ》が自《みずか》ら とどめをさしてやる

パチ
ガば
じぃ〜
ライト
レフト
はぁ〜
メチャクチャじゃないか!!!!

終《お》わったな
きゃはは♪
ゴゴゴ
なんなんだお前《まえ》!!
左右《さゆう》バラバラだぞ!!
こんなバラバラ
初《はじ》めてだ!!
どこの生《う》まれだ!?
バラバラアイランドの
住人《じゅうにん》か!?
虫酸《むしず》が
走《はし》るわ!!
コレ
デコの部分《ぶぶん》
以外《いがい》はな!!
邪魔《じゃま》だ
そんなかざり!!
いらん
お前《まえ》は
「いらんづくし」
か?
邪魔《じゃま》!!

邪魔《じゃま》!!
邪魔《じゃま》!!
邪魔《じゃま》!!
邪魔《じゃま》!!
邪魔《じゃま》!!

邪魔《じゃま》!!
邪魔《じゃま》!!
全《ぜん》部《ぶ》邪《じゃ》魔《ま》だぁ!!!

ボゴ

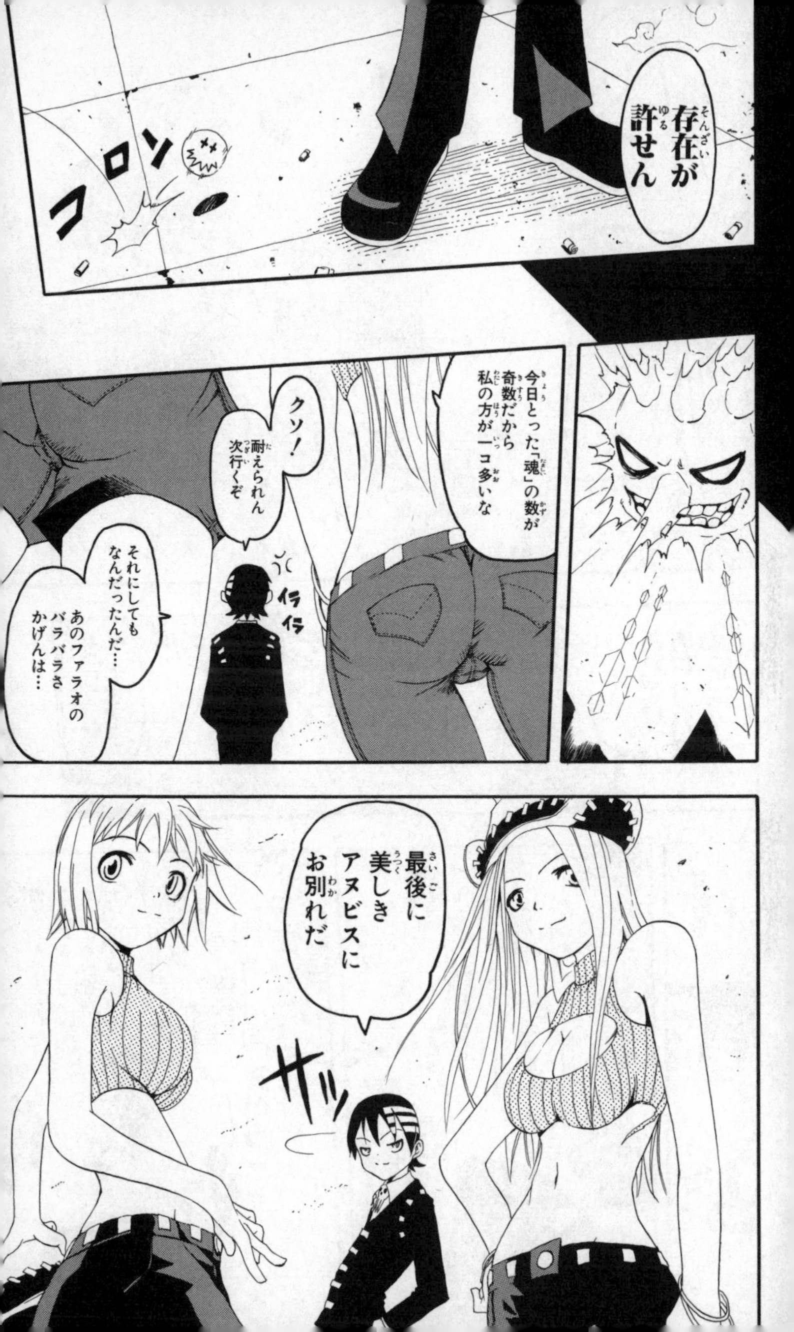

存在《そんざい》が許《ゆる》せん
コロン
今日《きょう》とった「魂《たましい》」の数《かず》が奇数《きすう》だから私《わたし》の方《ほう》が一《いっ》コ多《おお》いな
クソ！
耐《た》えられん次行《つぎい》くぞ
イライラ
それにしてもなんだったんだ…
あのファラオのバラバラさかげんは…
最後《さいご》に美《うつく》しきアヌビスにお別《わか》れだ
サッ

ボン
キャハハ ぶっこわれた♪
ゴゴゴゴ
なんてことだ…
あれだけあばれればねエ……
俺《おれ》はとんでもないブタ野郎《やろう》だ ゴミだめ的存在《てきそんざい》だからアヌビスをゴミに……
クソ鬱《うつ》だ
死《し》のう
ドンドンドン
そうしょげるなよ!! 誰《だれ》だってピラミッドの一《ひと》つや二《ふた》つ壊《こわ》すって♪
元気出《げんきだ》して♪
お前《まえ》らって…

掲載・月刊ガンガンWING平成16年1月号

SOUL EATER

怪僧《かいそう》ラスプーチン!
あんたの魂《たましい》…いただくぜ!
行《い》くよ!ソウル=イーター
無駄《むだ》だぁ~!!私《わたし》の体《からだ》は銃弾《じゅうだん》すら効《き》かないのだぁ~~!!

ボズン

オ
オ
フョ
フョ
フョ
オ
あんたが
何発銃弾《なんぱつじゅうだん》を
食《く》らったか
知《し》らねェけどさ
シュバァ
ァ
ァ
ァ
ニュウウウ
俺《おれ》は
魂《たましい》を食《く》うぜ!!
フョ
フョ
ガバッ
アン

第《だい》1話《わ》：補《ほ》習《しゅう》授《じゅ》業《ぎょう》（前《ぜん》編《ぺん》）

SOUL EATER

朝!!
DEATH CITY
COOL《クール》な日々《ひび》…
朝《あさ》も もちろんCOOL《クール》!!
Aphex Twin
PORTISHEAD
ゴン!
SOUL
んあ〜〜
魔鎌《まがま》
ソウル=イーター
魂《たましい》
うめエ〜〜♪
それがCOOL《クール》な俺《おれ》に
似《に》つかわしい朝《あさ》だ

ソウル君《くん》♡
そろそろ起《お》っきする
時間《じかん》よ～～♡
猫魔女《ねこまじょ》
ブレア
ん？
ブ………
ブレア!!
クス♪
スリスリ
それとも
このまま――……
ス

ブレアと
楽《たの》しいコト
しちゃう?
ガリ
ガリ
ガリ
ん～ん～!!
ん～ん～!!
ラン♪ラララン♪
ラララン♪
ラララララララ♪
ほい♪
SOUL
よし♪
で～～
きた♪
コロン

コンコン
ソウル 今日《きょう》から学校《がっこう》だゾ 早《はや》くゴハン食《く》え〜〜♪
鎌職人《かましょくにん》 マカ
マ……マカ…
こんな朝《あさ》！こんなラブコメ！
……
おはよ♪ マカ
ソウルのバカアー!!
ぜんぜんCOOL《クール》じゃない!!

死神《しにがみ》武器《ぶき》職人《しょくにん》専門《せんもん》学校《がっこう》
略《りゃく》して「死武専《しぶせん》」――…
わい わい
CLASS CRESCENT MOON
がや がや
アンタ 魂《たましい》何個《なんこ》とった?
……
12個《こ》! アンタは?
なぁ マカ?
うるさい 今《いま》本読《ほんよ》んでるの
邪魔《じゃま》しないで
何《なに》怒《おこ》ってんだよ ガリベン
………

パタン
マカチョーップ!!
ゴ
ふごっ!!
マジイテェ…
ピク
ピク
何《なに》？話《はなし》って
ペラ
ペラ
あのなさっき聞《き》いた話《はなし》なんだけど
うん
前任《ぜんにん》の先生《せんせい》…何《なん》つったっけ？くたばったろ？自由《じゆう》の女神《めがみ》がみけんに刺《さ》さってさ
シド先生《せんせい》ね…「みけんに女神事件《めがみじけん》」
ペラ
ペラ
それが？
知《し》ってっか？最近《さいきん》「死武専《しぶせん》」の生徒《せいと》が変《へん》な男《おとこ》に狙《ねら》われてるって話《はなし》
となりのクラスの奴《やつ》がボコられたらしいぜ
それでその犯人《はんにん》を見《み》た奴《やつ》が変《へん》なコト言《い》ってたんだ
犯人《はんにん》の姿《すがた》が変《か》わってるんだと…

……
うん
パタン
その犯人《はんにん》の姿《すがた》が――……
みけんに穴《あな》の開《あ》いたゾンビだったあぁ!!
どまぁ～…
いぎゃあああああ!!
なぐるコトねェだろ…
ピクピク
それがシド先生《せんせい》だって言《い》うの?
ウソウソどうせ誰《だれ》かの作《つく》り話《ばなし》でしょ
ガラガラ
カッ カッ
あーだまれー授業始《じゅぎょうはじ》めるぞ!
!!
ザッ
エ!?
あの人《ひと》が新任《しんにん》の先生《せんせい》?
ウソ…
出席《しゅっせき》はめんどくさいからとらん
あと初《はじ》めに言《い》っておく
パタン

授業《じゅぎょう》の終《お》わりを決《き》めるのはチャイムじゃない…
この俺《おれ》だ!!
わー!
オオ
カッコイイ
キラーン
どうだい? マカ…♡ きまったダロ?
ザン
現死神様《げんしにがみさま》の武器《ぶき》
デスサイズ
!!
………
…オイ お前《まえ》のアホ親父《おやじ》ジッとこっち見《み》てんぞ……
マカ~♥
じぃ~
マカ~♥
き…き…気《き》のせいじゃないの…?

ぷいっ
それに あんなの パパじゃ ないもん!!
オイ!! デスサイズ!! これからお前《まえ》が担任《たんにん》になるのか?
あ!? 俺《おれ》は臨時《りんじ》だ 前《まえ》のくたばった先生《せんせい》の代《か》わりが決《き》まるまでのな
あとデスサイズ先生《せんせい》だろ? "先生《せんせい》"つけろボケ!!
それじゃ出席《しゅっせき》を とりまぁ〜す
さっき とらねェーって 言《い》っただろ?
男子《だんし》は とらねェーって 言《い》ったんだ
女《おんな》の子様《こさま》は とりますよォ〜♡
ふざけんな エロオヤジ!!
最低《さいてい》
いちいち うるせェな…
ソウル=イーター…
ソウル=イーター っと…
評価
ひょうか…
最悪《イイイ〜〜〜…》
きゅっ
では授業《じゅぎょう》 始《はじ》める よォ〜♪
パンパン
おい!! テメェー!! 今《いま》なんか 書《か》いたろ!!?

あ〜〜
そうそう
マカとソウル
死神様《しにがみさま》が
お呼《よ》びだ
授業《じゅぎょう》はいいから
行《い》ってきなさい
しっしっ
?
?
……
なんだろ?
DEATH ROOM
失礼《しつれい》
しまーす
コンコン

それでは…
授業《じゅぎょう》を始《はじ》める!
ゴク…
ざわ
ざわ
俺《おれ》がお前《まえ》らの知《し》らない領域《りょういき》を教《おし》えてやろう
ザッ
キャバクラ経《けい》済《ざい》学《がく》
どうよ
し〜ん
死神様《しにがみさま》…なんの用《よう》だろうね?
さぁ〜

サッ
ソウルとマカだ
俺《おれ》にスキを見《み》せるとはな…
行《い》くぞ 椿《つばき》!!
はい
暗殺道《あんさつどう》其《そ》の一《いち》!! 闇《やみ》にまぎれ… 息《いき》を殺《ころ》し 目標《もくひょう》のスキをうかがうべし!!
ベベーン
ベーン
暗殺道《あんさつどう》其《そ》の二《に》!! 目標《もくひょう》と同調《どうちょう》し 目標《もくひょう》の思考《しこう》・行動《こうどう》を推測《すいそく》せよ!!
暗殺道《あんさつどう》其《そ》の三《さん》!! 目標《もくひょう》が自分《じぶん》の存在《そんざい》に気付《きづ》く前《まえ》に相手《あいて》を倒《たお》せ!!
ギラン
あ♪
ブラック☆スターだ 何《なに》やってんの?
でっかい声《こえ》出《だ》してよ
…
バッチリ気付《きづ》かれてるわ……
俺《おれ》の抑《おさ》えきれないスター性《せい》!! それがあだとなったか……
スタ

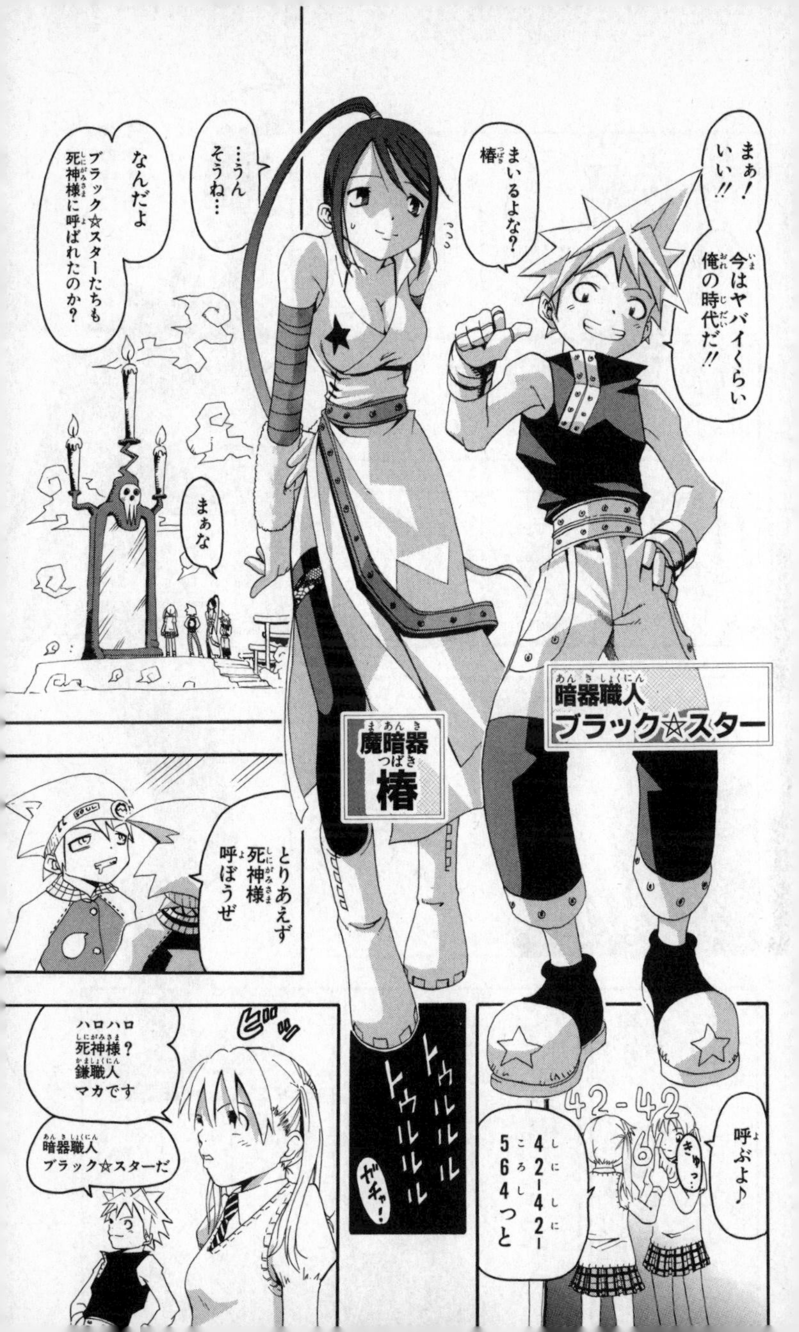
まぁ!いい!!
今《いま》はヤバイくらい俺《おれ》の時代《じだい》だ!!
椿《つばき》 まいるよな?
…うん そうね…
なんだよ ブラック☆スターたちも 死神様《しにがみさま》に呼《よ》ばれたのか?
まぁな
暗器職人《あんきしょくにん》
ブラック☆スター
魔暗器《まあんき》
椿《つばき》
とりあえず 死神様《しにがみさま》 呼《よ》ぼうぜ
呼《よ》ぶよ♪
42-42
6
きゅっ…
42《しに》-42《しに》-564《ころし》つと
トゥルルル
トゥルルル
ガチャ!
ビッ
ハロハロ 死神様《しにがみさま》? 鎌職人《かましょくにん》 マカです
暗器職人《あんきしょくにん》 ブラック☆スターだ

はい
は～い♪
ちっすっ！
うすっ!!
うい～すっ!!
おつかれさ～ん
こんにちわ
おう～～～
用《よう》ってなんだ？
はい…
うん
君《きみ》たちにちとうけてもらいたいもんがあってね
死《しに》神《がみ》様《さま》
?
ぼけ～
?
?
補《ほ》習《しゅう》♡
エエ!?
「補習《ほしゅう》」って おバカがうける あの「補習《ほしゅう》」？
やだよ!! 最強《さいきょう》の「デスサイズ」になる俺《おれ》がうけるもんじゃねェ!!
SOUL
君《きみ》たち〝職人《しょくにん》〟と〝武器《ぶき》〟の義務《ぎむ》は？

「99個《こ》の人間《にんげん》の魂《たましい》」と「1個《こ》の魔女《まじょ》の魂《たましい》」を〝武器《ぶき》〟に食《た》べさせ死神様《しにがみさま》の武器《ぶき》〝デスサイズ〟を造《つく》ることです！
うん♪
でも君《きみ》たちが今日現在《きょうげんざい》で集《あつ》めた魂《たましい》！
0個《こ》じゃん♪
デス…
ひゃっはっは
……
どうもすみません…
でっ その補習《ほしゅう》の内容《ないよう》なんだけど…
もうウワサで聞《き》いてたりする？
この前《まえ》まで…「死武専《しぶせん》」の教師《きょうし》だったシド先生《せんせい》の話《はなし》…
ゾンビ化《か》して生徒《せいと》を襲《おそ》ってるって話《はなし》をさ
ほれ！ みろ！ 俺《おれ》の話《はなし》本当《ほんとう》だろ？
う…うん でもなんで？ けっこういい先生《せんせい》だったよ…

確《たし》かに生前《せいぜん》はシブめのいい先生《せんせい》だったんだけどね
しど先生
穴
ゾンビになって『死《し》の恐怖《きょうふ》』から解放《かいほう》されて生徒《せいと》に「自分《じぶん》と同《おな》じ経験《けいけん》をさせてやる」って言《い》ってさぁ生徒《せいと》を襲《おそ》うはた迷惑《めいわく》で自己満足《じこまんぞく》な授業《じゅぎょう》を繰《く》り広《ひろ》げちゃってるワケ
しかもシド先生《せんせい》をゾンビ化《か》させた何者《なにもの》かが裏《うら》で手《て》を引《ひ》いてるのは確《たし》かだね
O・K《オーケー》!まかせろよダンナ
要《よう》するにそいつらの魂《たましい》をとってくりゃいいんだな
はい そ・ゆ・こと
別《べつ》におどすわけじゃないけど…
もし この補習《ほしゅう》を落《お》とすようなコトがあったら………
みんな仲良《なかよ》く
退学《たいがく》ね♪
エエ!!?
た……た……
ほんじゃまぁ応援《おうえん》なんかしちゃったりするんでガンバッちに〜♪
た……た……

退学《たいがく》うっ!?
鈎爪《フック》墓地《セメタリー》
HOOK CEMETERY
ゴー。。
オラー!! ゾンビ野郎《やろう》!! 出《で》てこい クソがぁ!!
なぁ 椿《つばき》…
これがシドの墓《はか》か? こんな所《ところ》にまだいんのかよ? 奴《やつ》は動《うご》き回《まわ》ってんだぜ
エエ…
でもとりあえずは お墓《はか》かなぁ〜って…
オォォォオ
SID

ゴゴゴゴ
退学《たいがく》になって
たまるかよ!!
出《で》てこいや!!
テメェーの授業《じゅぎょう》まともに
聞《き》いたコトねェーんだわ
ぎゃはははは!!
別《べつ》にフツーの
墓《はか》だけどな…
ソウル君《くん》…
こわれてる…?
自分《じぶん》では
お母《かあ》さん似《に》の
りっぱな鎌職人《かましょくにん》だと
思《おも》ってたのに…
いつの間《ま》にか…
お…お…お…
おちこぼれ…
ずるずる
あいつ 何《なに》
しょげてんだ?
ブラック☆スターは
少《すこ》し気《き》にしよ?
…ねっ?
ゴゴゴゴ
なぁソウル
シドの墓《はか》にションベンでも
ひっかけてやろうぜ♪
ひゃっはっはっは
!!!
オウオウ!!
やってやれ!!
ついでにクソも
ひねり出《だ》せ!!
COOLになな
…私《わたし》…
立《た》てるかしら…
う…うん
立《だ》てる…
まだ…いける…
でも立《た》たない…
誰《だれ》か 彼《かれ》らを
止《と》めて——…

ゴゴゴゴゴゴ
オオォ
?
ボコ

わぁあ!!
マカ!!
ザッ
コワイカ?
ヒャ
ツ
オ
コワイダロ!
え?
オ
オオオ!!
オ
オ
オ
オ

!!
ソウル!!
チッ
ありがとう助《たす》かった!
おう!!
ザッ
んぎっ!!
ガッ
ガッ
……あれが……シド先生《せんせい》……?

マカ。ソウル。ブラック☆スター。椿《つばき》。
おはよう こんにちわ こんばんわ
お久《ひさ》しぶり DEATH《デス》(死《し》)
ボフ
ボフ
…
……俺《おれ》はあいさつをかかさない男《おとこ》だった
……
椿《つばき》!! 俺《おれ》たちもいくぜ!!
はい
始《はじ》まったね……
なんで?
死《シ》人《ド》先生《せんせい》!?
KILL《キル》コーン カーンコーン♪
元《もと》「死武専《しぶせん》」教職人《きょうしょくにん》
死《シ》人《ド》

ゾンビはいいぞ！色《いろ》んなコトがどうでもよくなる
授業《じゅぎょう》を始《はじ》めるぞ
俺《おれ》はチャイム通《どお》り授業《じゅぎょう》を開始《かいし》する男《おとこ》だった
いいだろう!! 久《ひさ》しぶりに見《み》せてやる俺様《おれさま》の神憑《かみがか》った授業態度《じゅぎょうたいど》をな!!
……
こっちは退学《たいがく》がかかってんだ!!
うけてやるよ!! てめェーの腐《くさ》りかけで賞味期限《しょうみきげん》切れの授業《じゅぎょう》を!!
無駄《むだ》な努力《どりょく》はやめろ どうせいつか死《し》ぬんだ
ゾンビになれば「死《し》」へのプレッシャーが無《な》くなる
恐怖《きょうふ》から逃《のが》れられるんだぞ
そんなの間違《まちが》ってる!!
先生《せんせい》はそんなコト言《い》う人《ひと》じゃなかった!!

聞《き》くより習《なら》え!!
とりあえず死《し》ね!
SID
!!
バカ野郎《やろう》!! 何《なに》ボケっとしてんだよ!!
ガッ
!
俺《おれ》はけっこうせっかち!!
ギュン

そんな男《おとこ》だったぁあ!!
ズ
ギャ
ズ
あわわ
あぁぁ…
ザク
ザザ
ほっ
んん!!
ザ
タンタン
ズ
ザリザリ
オオオオ!!
ゴメン
ブラック☆スター…
お前《まえ》小物《こもの》
俺《おれ》大物《おおもの》
気《き》にすんな!!
さっさとあきらめろ
お前《まえ》ら「一《ひと》つ星職人《ぼししょくにん》」では俺《おれ》には勝《か》てん!
……
ゾンビだろうが「魂《たましい》」を食《く》われちまえば終《お》わりだろうが!!
死人《シド》先生《せんせい》は強《つよ》いわ…

私《わたし》たち一《ひと》つ星職人《ぼししょくにん》と違《ちが》って…
先生《せんせい》は生前《せいぜん》最高《さいこう》ランクの「三《み》つ星職人《ぼししょくにん》」…
けっこうじゃねェかよ…先生《せんせい》
だけど墓《はか》をそんなにブン回《まわ》したらバチがあたってまたおっ死《ち》ぬぜ
自分《じぶん》の墓《はか》だ
どう扱《あつか》おうが勝手《かって》だろ？
KILL《キル》コーンカーンコーン♪
さぁあて…2時限目《じげんめ》を始《はじ》めよう
この時限《じげん》が終《お》わるトキお前《まえ》らも死《し》ね
新学期《しんがっき》そうそうついてない…
さっさと済《す》ませてお風呂《ふろ》入《はい》りたい…

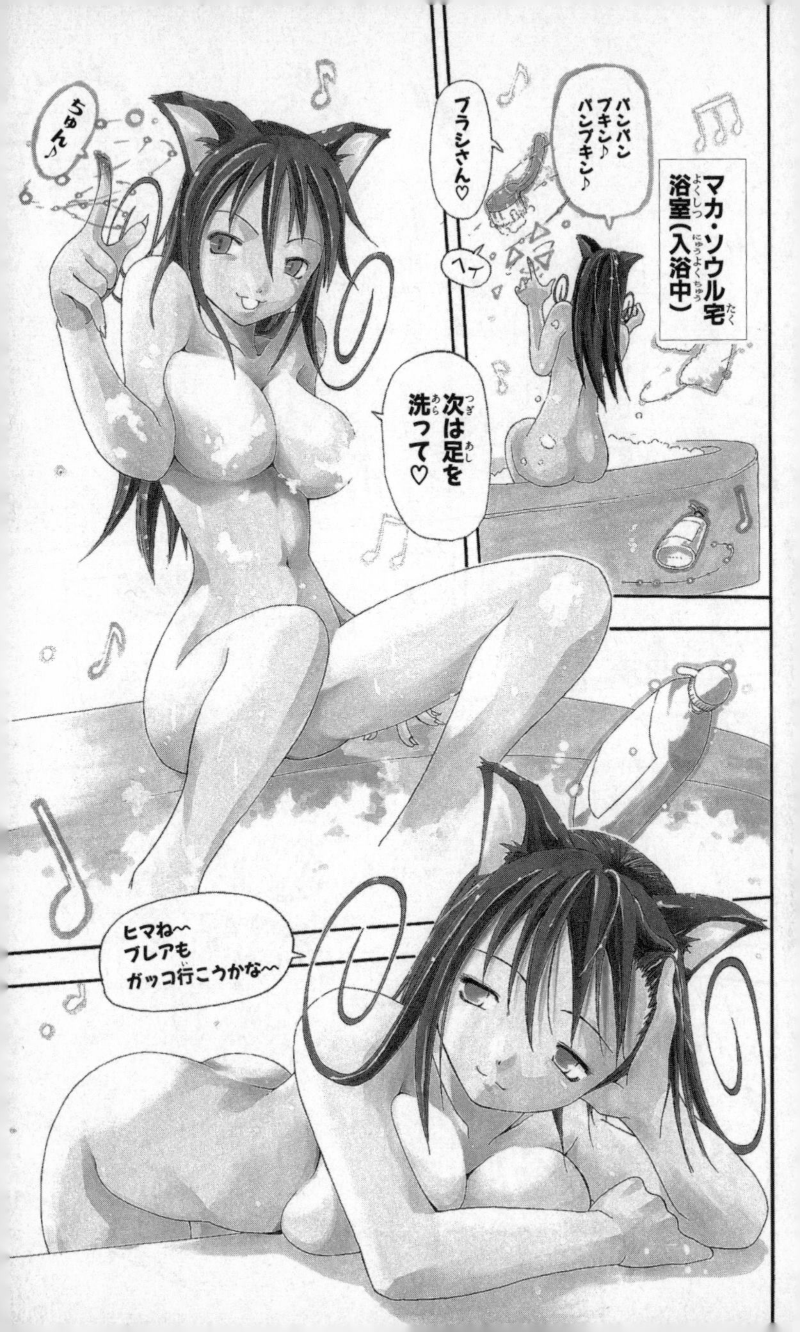
マカ・ソウル宅《たく》
浴室《よくしつ》（入浴中《にゅうよくちゅう》）
パンパン プキン♪ パンプキン♪
ブラシさん♡
ヘイ
次《つぎ》は足《あし》を洗《あら》って♡
ちゅん♪
ヒマね～ ブレアも ガッコ行《い》こうかな～

ゴ
ギン
マカとソウル君《くん》楽《たの》しそうだもんなァ〜
ガッ
どうした!?
もっとお互《たが》いを理解《りかい》しろ!!
"職人《しょくにん》"と"武器《ぶき》"の「魂《たましい》の波長《はちょう》」がバラバラだぞ
……
魂《たましい》を狙《ねら》ってる相手《あいて》にアドバイスですか!?
俺《おれ》は教育《きょういく》熱心《ねっしん》な熱血《ねっけつ》教職人《きょうしょくにん》!!
ドッ
あああ!
そんな男《おとこ》だった!!
ダッ
!!

な!!
お前《まえ》の人生《じんせい》に墓《はか》をくれてやる!!
くらえ!!
十字落とし《リビング・エンド》!!
ズ
ブラック☆スター!!
死人《シド》先生《せんせい》はナイフ職人《しょくにん》だったのに…
〝魔武器《まぶき》〟も使《つか》わずお墓《はか》一《ひと》つでここまで闘《たたか》えるものなの……?

……これが三《み》つ星《ぼし》職人《しょくにん》……!!
KILL《キル》コ〜ン♪
カーンコーン♪
授業《じゅぎょう》も終《お》わり…
そろそろ死《し》ぬか?
………
どうだ?死《し》ぬのは怖《こわ》いだろ?
ゾンビになればその「恐怖《きょうふ》」から解放《かいほう》されるぞ
…
…
ムック…
ブラック☆スター!!
ポタポタ
プチッ
あ〜〜〜!!アッタマ来《き》たぜ…
ごちゃごちゃうるせェんだよバカ野郎《やろう》!!

フォ
ォ
フォ
ォ
オ
お前《まえ》の授業《じゅぎょう》なんか最初《さいしょ》から始《はじ》まっちゃいねェんだよ!!
腐《くさ》れボケが!!
ヴャ
ラ
オレ・オン・ステージだろが!!!
ドズルルルルルルルル
!?
ギ
三《み》つ星《ぼし》も一《ひと》つ星《ぼし》もかんけェーねェー!!
ジャッ
ビャアアアァ
!!
シュタ
俺《おれ》はー!!
タン
タン
タン

黒《ブラック》☆星《スター》だあ!!!
人体《じんたい》の中心線上《ちゅうしんせんじょう》の急所《きゅうしょ》の一《ひと》つ水月《すいげつ》(鳩尾《みぞおち》)を
的確《てきかく》に打《う》ちこんできやがった
うむ♪
暗殺術《あんさつじゅつ》に長《た》けてるブラック☆スターらしいいい攻撃《こうげき》だね
休《やす》ませねェ!!
椿《つばき》!! 暗器《あんき》モード「手裏剣《しゅりけん》」!!
はい!

ひやはぁ～☆
なんのこれしき……
地中《ちちゅう》で死《し》んでた俺の体《マイ・バディー》!!
とう!!
マカ!! 対空《たいくう》!!
うん!!
つぶす!!
十字落とし《リビング・エンド》!!

!?な……
何《なに》イイ!?
恐怖心《きょうふしん》があるから人《ひと》は誰《だれ》も強《つよ》くなろうと思《おも》うんだ!!
こんなかすかな隙間《すきま》に…もぐりこみやがった…
ほお〜♪
タン

も。
「恐怖《きょうふ》」を感《かん》じない
というのは普通《ふつう》は
無謀《むぼう》なことだけど
——…
マカちゃん
には——…
はぁああ
あああ!!
「恐怖《きょうふ》」と闘《たたか》う
「勇気《ゆうき》」がある!!

オ
マカァ!!
オ
SOUL
あれをやるぞ!!
「魂《たましい》の波長《はちょう》」を合《あ》わせろ!!
!!
…!!
オ
でも
あれはまだ一度《いちど》も成功《せいこう》してないよ
オ
できる!!
俺《おれ》たちならやれる!!
オ
ガ!!
シャ
うん!!

「魂《たましい》の共鳴《きょうめい》」!!
!?
!?
…これは!!
行《い》くぞ!!
鎌《かま》職《しょく》人《にん》
伝《でん》統《とう》の大《おお》技《わざ》!!
魔《ま》女《じょ》狩《が》り!!

カクン゛
いっ
ギャズン
……
や〜ん
あぽ〜ん
いやアアアアん!!!
ZOMBEIS
23
……
ズガガガガ

……
…
何《なに》しやがんだ!! 殺《ころ》す気《き》か!!
もう!! ソウルのせいだからね!! ちゃんとしてよ!! バカー!!
はぁ!? ざけんな!! なんで俺《おれ》のせいなんだよ!! バカかお前《まえ》!! イカレてんじゃねぇの!? 死《し》ね!!
し…死《し》ね!? ヒドイ!! お前《まえ》が死《し》ね!!
うるせェ 焼《や》け死《し》ね
うすうす気《き》が付《つ》いてはいたさ!! お前《まえ》らが俺様《おれさま》のBIG《ビッグ》な魂《たましい》を狙《ねら》っていたのをな!! ひゃっはっはっは☆
……
だれか〜……
チリ
チリ
チリ
チリ
チリ
チリ
なんという威力《いりょく》だ…
私《わたし》は大技《おおわざ》なんか狙《ねら》わずにシンプルにいきたかったのに
ザッ
ッ
COOL《クール》な男《おとこ》はバクチ人生《じんせい》だろが!!
!
ボコ
ポコ

ズジャン
エ!?
消《き》えた!?
違《ちが》う!!
もぐりやがった!!
ボコ
ボコ
ボコ
地面《じめん》!?
ボコ
ボコ
ボコ
ボコ
……!!
しっかりしてくれよ
私の御主人様《マイマスター》♡
うるさいなぁ
わかってるよ!!
……
……
モコ

マカ!!
んん!!
…
クソ!!
ボコ
ボコ
また
もぐりやがった!!

どうしよう…
ソウル……
ボコ
ボコ
ボコ
……
……
ブラック☆スター……!!
ああ
ギリ
わかってる
死人《シド》がやってるのは「暗殺道《あんさつどう》其《そ》の一《いち》」!!
ボコ
ボコ
「闇《やみ》にまぎれ息《いき》を殺《ころ》し…目標《もくひょう》のスキをうかがうべし」

椿《つばき》!! 奴《やつ》の一歩《いっぽ》先《さき》に行《い》くぞ!!
はい!
……!! 何《なに》…?
ブラック☆スターの呼吸法《こきゅうほう》が変《か》わった?
ふっ
ふっ
ふっ
ふっ
ふっ
ジャラララ
俺様《おれさま》のステージに上《あ》がんな腐《くさ》れゾンビが
暗殺者《あんさつしゃ》は二人《ふたり》もいらねェんだよ
ふっ
ふっ
俺《おれ》が目立《めだ》たねェ
ふっ
ふっ

罠《トラップ》☆星《スター》
暗殺道《あんさつどう》其《そ》の二《に》――…
ふっ
ふっ
ふっ
目標《もくひょう》と同調《どうちょう》し
目標《もくひょう》の思考《しこう》・行動《こうどう》を推測《すいそく》せよ
オ
オ
ふっ
ふっ
ふっ
オ
オ
フォ

ふっ
集中《しゅうちゅう》しろ…聞《き》こえるぞ
奴《やつ》の「魂《たましい》の波長《はちょう》」が――…
ふっ
ふっ
ふっ
ふっ
ふっ
ふっ
ふっ
「椿《つばき》」を通《とお》して
伝《つた》わってくる――…
……
呼吸《こきゅう》が
止《と》まった…
来《く》る…

罠《トラップ》☆星《スター》
食後《しょくご》に防腐剤《ぼうふざい》でも飲《の》んでおけ
プンプン臭《にお》う

発《はつ》動《どう》!!!
ジャ
捕《ほ》獲《かく》!!
ぐううう!?
ほお♪
いっ…
あ

ひやっはっ
はっは☆
コラーー!!
私《わたし》も捕《つか》まえるなーー!!
ガタ
ガタ
邪魔者《じゃまもの》は
お前《まえ》らも同《おな》じだ
早《はや》く放《はな》せ!!
殺《ころ》してやる!!
ひやっはっ
はっは
ふむ
ふむ
とりあえず
一段落《ひとだんらく》
かしら♪
ふ〜ん
あとは死人《シド》先生《せんせい》を
ゾンビ化《か》させた
黒幕《くろまく》でしょ?
そそ

誰《だれ》なんだい？ 父上《ちちうえ》
コラ… じっとしてな
ウリ ウリ
う？
パタ パタ
パタ パタ
二丁魔拳銃《にちょうまけんじゅう》
パティー&《アンド》リズ
(妹《いもうと》) (姉《あね》)
死神様《しにがみさま》の息子《むすこ》
デス・ザ・キッド
ただ者《もの》じゃないんだろ？
…
!!
!!

言《い》え!! コラ!! ああ!?
誰《だれ》がゾンビにしたんだよ!!
SOUL
EAT
早《はや》く言《い》った方《ほう》が身《み》のためですよ…「マカチョップ」…痛《いた》いですよ〜
タン
タン
どうした? 随分《ずいぶん》とやる気《き》だな?
だ〜〜
お前《まえ》がおいしいトコ全部《ぜんぶ》持《も》ってったからだよ!!

俺《おれ》は口《くち》の堅《かた》い男《おとこ》だった!!
どん
それは死《し》んでからもゆずれねェ!!
何《なに》熱《あつ》く胸《むね》たぎらせちゃってんだよ
ピク
ピク
腐《くさ》ってるくせによ~~~……
ゴゴゴゴゴゴ
ゴゴゴゴゴゴ
COOL《クール》な男《おとこ》としてこのままじゃ終《お》われねエーこいつの口《くち》は俺《おれ》が絶対《ぜったい》割《わ》らす!!
……

ほれ
あっ
うほ♥
シュタイン博士《はかせ》だ!!
ZOMBEIS
23
よし!
秒殺《びょうさつ》かよ…
そいつどこよ?
口《くち》は割《わ》らん!!
頑固一徹《がんこいってつ》!!
どん
俺《おれ》はそういう男《おとこ》だった!!
クソ!! 今度《こんど》こそ負《ま》けられねェ…!!

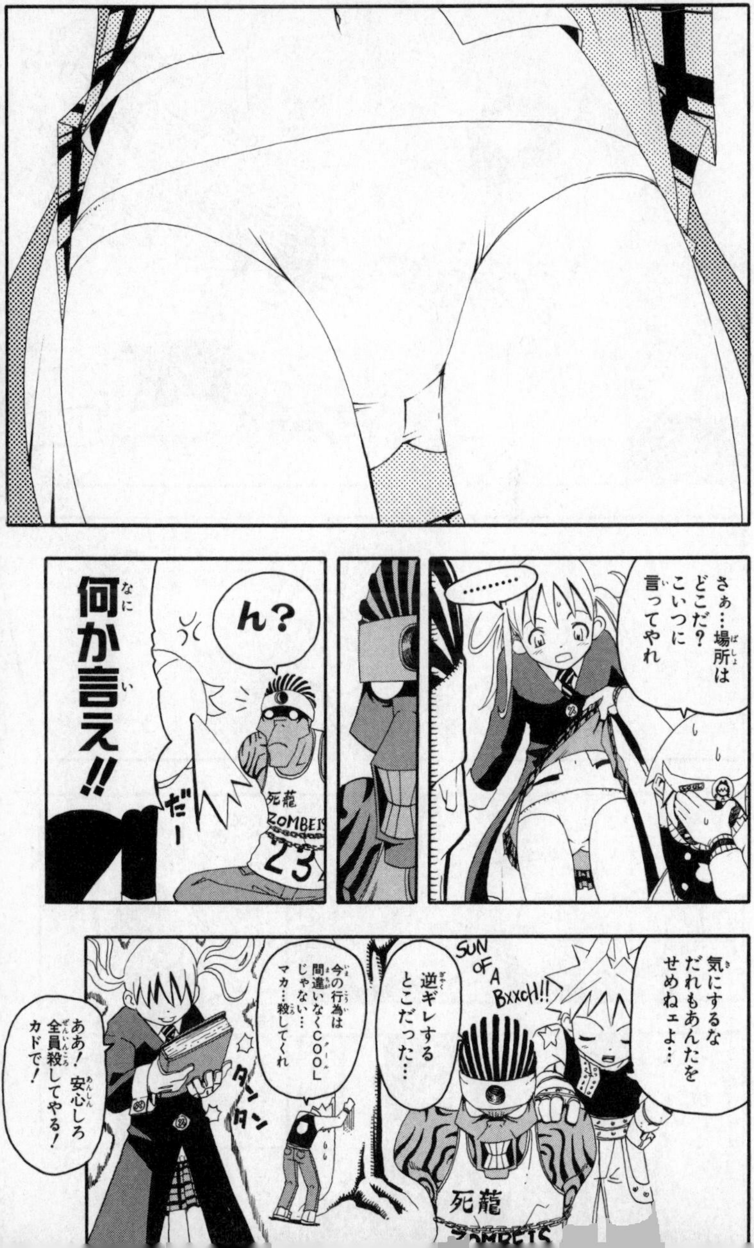
さぁ…場所《ばしょ》はどこだ？こいつに言《い》ってやれ
………
ん？
何《なに》か言《い》え!!
だー
死龍
ZOMBEIS
23
気《き》にするなだれもあんたをせめねェよ…
SUN OF A BXXCH!!
逆《ぎゃく》ギレするとこだった…
今《いま》の行為《こうい》は間違《まちが》いなくCOOL《クール》じゃない…マカ…殺《ころ》してくれ
タンタン
ああ！安心《あんしん》しろ全員殺《ぜんいんごろ》してやる！カドで！
死龍

シュタイン博士《はかせ》は
デス・シティー《この町》の
はずれにある
「研究所《けんきゅうじょ》」にいます
ごめんなさい…
ごめんなさい…
ごめんなさい…
デス・シティーの
はずれにある
研究所《けんきゅうじょ》——…
ごめんなさい…
ごめんなさい…
ごめんなさい…
女王様《じょおうさま》…
プツン
やや！
犯人《はんにん》
わかったね〜♪
……
なんか変《へん》な
フェードアウトで
終《お》わったけど…
シュタイン博士《はかせ》…
何者《なにもの》——…!?
てごわいよォ〜
彼《かれ》は…

デス・シティー郊外《こうがい》
ツギハギ研究所《けんきゅうじょ》
タン
タン
……
ん〜…
どうも頭《あたま》がさえんな…
ギーコ
ギーコ
ギーコ
ギーコ
んー…

ダメだ…ダレた
博士《はかせ》
フランケン
=シュタイン

掲載・月刊少年ガンガン平成16年6月号

ねェ? キッド
今現在《いまげんざい》最強《さいきょう》として存在《そんざい》する私《わたし》の武器《ぶき》デスサイズ君《くん》――…
彼《かれ》を鍛《きた》え上《あ》げた職人《しょくにん》は知《し》ってるよね?
DEATH
うん マカの母上《ははうえ》でしょ?
?
それが?
おねェちゃん おねェちゃん
なぁに?
エヘヘ♪
実《じつ》はね
マカちゃんのお母《かあ》さんはデスサイズ君《くん》の2代目《だいめ》パートナーなの
……!!
…って言《い》うことはもしかして…初代《しょだい》が――?
うん…

そう シュタイン君《くん》は デスサイズ君《くん》の 初代《しょだい》パートナー
死武専《ここ》の卒業生《そつぎょうせい》の中《なか》でも 最強《さいきょう》の職人《しょくにん》だった男《おとこ》だよ
ここね!!

ソウルイーター1　おわり

ヘラヘラ
君《きみ》を解体《かいたい》したくなった♪
「死武専《しぶせん》」の中《なか》でも最強《さいきょう》の職人《しょくにん》だったというシュタイン博士《はかせ》・・・。
ブラック☆スター!!!

“魂《たましい》”の鼓動《こどう》を聴《き》け!! ソウルは死神様《しにがみさま》の武器《ぶき》「デスサイズ」になれるのか——!? 次巻《じかん》、更《さら》なる空前絶後《くうぜんぜつご》、大興奮《だいこうふん》が待《ま》つ!!
?
その実《じつ》力《りょく》とは——!?
……ダメ…
勝《か》てない…
お前《まえ》が見《み》たのはただの魂《たましい》だろ!!
未来《みらい》が見《み》えたワケじゃねェ!!

[ソウルイーター]第《だい》2巻《かん》へ続《つづ》く!!

ここは
頭《あたま》のネジガブットンダ
クソ野郎《やろう》が集《あつ》まる酒場《さかば》…
「あつし屋《や》」――…
あつし屋
イカした世《よ》の中《なか》に
疲《つか》れはてたクズが
ブルースでも聞《き》きながら
ぐったりする場所《ばしょ》さ。
よう！
いらっシャイ♪
俺《おれ》は「あつし屋《こ》」の
店長《てんちょう》のアッシャーだ
よろしくな
うふ～ん♡
コイツは無敵《むてき》のバーテンちゃん兼《けん》
用心棒《ようじんぼう》!! ユウ＝サンだ!!
「うふ～ん♡」しか言《い》わねェが
無敵街道驀進中《むてきかいどうばくしんちゅう》だ!!
それにつけてもよかったな!!
この店《みせ》に入《はい》れたってコトは
俺《おれ》らと「魂《たましい》の波長《はちょう》」が
合《あ》ったってワケだ!!
カッコつけて
食《た》べてる
ペロペロキャンディー
デートスポットにはならねェが
いい所だぜ！ ゆっくりしてきな
ケケケケケ
それは
どうかな!!
なんだ!!
きさまっ!!
ビクッ
ケケケ
俺《おれ》か？
俺《おれ》の「野望《やぼう》」が
聞《き》きたいか？
そんなに
聞《き》きたいか!?
イヤ!! 私《わたし》たち
まだそんな段階《だんかい》じゃ
ないわ!!
まずは名前《なまえ》から!!
俺《おれ》は見《み》ての通《とお》り
ネズミ!!
それが
どういうコトか
わかるか!?
ネズミ業界《ぎょうかい》 ビッグな
ライバルが多《おお》い!!
うんたらマウスやら
なんたらチュー
とかな!!

ゴォォォ
俺《おれ》の「野望《やぼう》」はその中《なか》で君臨《くんりん》するコトだぁ!!!
まずはこの店《みせ》から支配《しはい》してやるぅ～～～!!!
ドカッ
こぎたねエー
ネズミにうろつかれたら店《みせ》の質《しつ》が下《さ》がっちまうだろ
まくよ…
あ゛!?
ペスト
まくよ
ぐすん
なに!?
ペスト＝ネズミちゃん発《はつ》のすごいウィルス!!
こ…こ…こいつ……ザラキが使《つか》えるのか!!?
メガネがとれるとトリになってしまうの
こんな時《とき》は無敵《むてき》の用心棒《ようじんぼう》!!
ユウ=サン!!
あいつをなんとかしてちょうだい!!
トテ
トテ
トテ
うふ～ん
シュコー
シュコー
自分《じぶん》だけきたねエー!!
開店《かいてん》そうそうペストに侵蝕《しんしょく》された「あつし屋《や》」――…
免疫力《めんえきりょく》に自信《じしん》のある方《かた》――…
またのご来店《らいてん》を!
あつし屋

ガンガンコミックス

SOUL EATER
ソウルイーター

ソウルイーター 1

2004年7月22日 初版
2008年3月25日 29刷

著 者　大久保 篤

発行人
田口浩司
発行所
株式会社スクウェア・エニックス

〒151-8544 東京都渋谷区代々木3-22-7 新宿文化クイントビル3階
〈内容についてのお問い合わせ〉 TEL 03(5333)0835
〈販売・営業に関するお問い合わせ〉 TEL 03(5333)0832
FAX 03(5352)6464

印刷所 図書印刷株式会社

ISBN4-7575-1223-6 C9979